CUAIRT RÒSAIDH

Le Pat Hutchins

CUAIRT RÒSAIDH

A' chiad fhoillseachadh sa Bheurla le The Bodley Head,
meur de Random House Children's Books,
Companaidh de Random House Group
Eagran The Bodley Head air fhoillseachadh 1968
Eagran Red Fox air fhoillseachadh 2001
An t-eagran seo air fhoillseachadh ann an 2009
1 3 5 7 9 10 8 6 4 2

Tha Red Fox Books air fhoillseachadh le Random House Children's Books,
61–63 Rathad Uxbridge, Lunnainn W5 5SA

A' chiad fhoillseachadh sa Ghàidhlig ann an 2020 le Acair,
An Tosgan, Rathad Shìophoirt, Steòrnabhagh,
Eilean Leòdhais HS1 2SD

info@acairbooks.com
www.acairbooks.com

An dealbhachadh sa Ghàidhlig le Mairead Anna NicLeòid

Tha Acair a' faighinn taic bho Bhòrd na Gàidhlig.

Gheibhear clàr catalog CIP airson an leabhair seo ann an Leabharlann Bhreatainn.

Clò-bhuailte ann an Malaysia

LAGE/ISBN 978-1-78907-071-2

Do Wendy
agus Stephen

Chaidh Ròsaidh a' chearc air chuairt

tarsainn an lios

timcheall
an
lòin

tarsainn a’ ghoca-fheòir

seachad air a' mhuilinn

FLÙR

FLÙR

COIRCE
COIRCE

tron fheansa

fo na taighean-sheillean

agus air ais
airson àm
dinnearach.